Mikroabenteuer im Alltag

Unvergessliche Erlebnisse für jede Jahreszeit

Julian Kobus

INHALT

Das erwartet Sie in diesem Ratgeber

Suchen Sie nach Abwechslung in Ihrem alltäglichen Leben? Würden Sie gern jeden Tag ein kleines Abenteuer erleben, ohne viel Zeit und Geld dafür investieren zu müssen? Oder fragen Sie sich, was Sie gerade überhaupt noch unternehmen können, trotz Einschränkungen durch die aktuelle Covid-19-Pandemie? Fällt Ihnen zu Hause die Decke auf den Kopf? Sind Sie vielleicht ein Elternteil, dem die Ideen ausgegangen sind und dem Homeoffice und Homeschooling zu schaffen macht? Dann sollten Sie sich unbedingt mal mit dem Thema Mikroabenteuer auseinandersetzen, denn oft liegen die kleinen großen Wunder direkt vor unserer Haustür.

Sie werden im Laufe dieses Ratgebers alles erfahren, was Sie wissen müssen, um dem öden Alltag zu entfliehen und regelmäßig kleine und große Abenteuer direkt vor der Haustür zu erleben. Dieser Ratgeber eignet sich für jedermann, sowohl für Singles, Pärchen und ganz besonders für Familien, da jeder Abenteuertipp problemlos für Kinder aller Altersstufen angepasst werden kann.

Die Tipps sind gegliedert nach den Jahreszeiten, für die sie sich am besten eignen. Selbstverständlich kann man diese aber auch unabhängig davon anwenden. Der Schluss des Ratgebers widmet sich dem Thema „Das Leben als Mikroabenteurer" und erklärt, wie alles zu einem Abenteuer werden kann, wenn Ihre Einstellung dazu passt. Dort wird explizit erklärt, wie Sie an Ihrem Denkprozess arbeiten müssen, damit Sie in die Lage kommen, die kleinen Wunder vor Ihnen entdecken zu können. Zusammen mit einem 10-wöchigen Aktionsplan soll Ihnen die Umsetzung erleichtert werden. Denn oft ist es nicht das Problem, dass es nichts zu erleben gäbe; wir selbst erkennen die Gelegenheiten dafür einfach nicht. Dieses Buch ist meine persönliche Ermutigung an alle, die Haustür aufzumachen, loszugehen und das zu entdecken, was direkt vor ihrer Nase liegt.

Mikroabenteuer

WAS IST EIN MIKROABENTEUER?

D er Begriff Mikroabenteuer kommt aus dem Englischen und ist vom englischen Begriff „microadventures" abgeleitet. Erstmals trat dieser Begriff im Jahre 2014 auf, Alastair Humphreys prägte ihn durch sein gleichnamiges Buch, und dies war das erste Mal, dass diese Art von Wohnort-nahem Outdoor-Abenteuer bewusst in der breiten Masse thematisiert wurde. Obgleich es diese kleinen Abenteuer schon immer gegeben hat, wurde nun ein passender Begriff dazu gefunden und damit eine neue Lebensstilidee propagiert. Seither entwickelten sich bezüglich Mikroabenteuer viele Definitionen. Im Endeffekt kann jeder für sich selbst definieren, was für ihn noch unter dem Begriff Mikroabenteuer fällt und was eventuell schon zu groß dafür ist. Für mich persönlich beschreibt der Begriff Mikroabenteuer ein Erlebnis, das man direkt vor der Haustüre oder in maximal zweistündiger Entfernung vom eigenen Zuhause machen kann. Es bedarf praktisch keiner Organisation und kostet bestenfalls nichts. Eine Übernachtung im Freien kann man einbauen, ist meines Erachtens aber nicht zwingend notwendig.

Bei der Abgrenzung des Begriffs Mikroabenteuer und was noch darunterfällt, kommt es immer stark auf die Zielgruppe an. Eine Familie mit mehreren Kindern hat andere Vorstellungen davon als ein erfahrener Extremsportler, der auf eigene Faust und unabhängig von anderen unterwegs ist. In diesem Ratgeber geht es vor allem um die Alltagsabenteuer, die für jedermann unabhängig vom finanziellen Status oder anderweitigen Möglichkeiten umsetzbar sind. Diese Ideen kann man immer noch aufpeppen, was dann eventuell zu Kosten und Aufwand führt. Einige ergänzende Ideen dazu werden angeführt, aber wenn Sie das nicht möchten, werden Sie als Leser hier viele Ideen finden, die Ihnen keinerlei Mehraufwand abverlangen. In diesem Ratgeber werden weniger bekannte Sehenswürdigkeiten oder gängige Trendsportarten angeführt, da diese bereits den meisten bekannt sein dürften und erstere in jedem Stadtplan zu finden sind. Stattdessen werden vor allem alltagstaugliche sowie naturnahe Ideen angeführt, die Sie nicht in einem klassischen Städteführer finden werden. Dies bringt ebenfalls den Vorteil mit sich, dass alle Anregungen ortsunabhängig durchführbar sind und unabhängig vom persönlichen Fitnessgrad und Sie keinerlei Outdoor-Erfahrung dafür benötigen.

Die meisten Tipps eignen sich hervorragend für ein gemeinsames Mikroabenteuer mit Kindern. Generell rate ich jedem, unabhängig davon, ob er selbst ein Elternteil ist oder nicht, bei mindestens einem Abenteuer Kinder mitzunehmen, sei es das Nachbarskind, der Neffe, die Nichte oder die Enkel. Denn die Kleinen haben in diesem Bereich einen riesigen Vorteil gegenüber uns Erwachsenen: Sie sind in der Lage, die kleinen Wunder des Lebens zu sehen und sich dafür zu begeistern, eine Fähigkeit, die viele Erwachsene bereits verloren haben. Diese Fähigkeit wiederzufinden, stellt die Quintessenz für ein gelungenes Mikroabenteuer dar. Deshalb nehmen Sie Ihre Kinder mit und sehen Sie diese niemals als Belastung, sondern versuchen Sie, die Welt durch deren Augen zu betrachten.

Aus diesen angeführten Aspekten ergibt sich folgende

Definition eines Mikroabenteuers:

- Wohnort-nahes, kleines Abenteuer

- Vorwiegend in der Natur

- Für jedermann umsetzbar

- Kostengünstig

- Geringer Zeit- und Planungsaufwand.

WOHER KOMMT DER TREND ZUM MIKROABENTEUER?

Im Endeffekt geht es bei diesem Thema um das allgemeine Thema der Entschleunigung des Alltags sowie um das Ziel, den Blick wieder für das Wesentliche und die kleinen Dinge des Lebens zu schärfen. Es geht darum, die Fähigkeit zu entwickeln, die kleinen Dinge des Lebens wertzuschätzen und wie im vorherigen Kapitel ausführlich beschrieben, die Welt wieder mit Kinderaugen wahrzunehmen.

Glücklich ist nicht der Mensch, der viel hat, sondern derjenige, der mit möglichst wenig zufrieden leben kann. Sowie derjenige, der in der Lage ist, aus den ihm gegebenen Mitteln das Beste herauszuholen. Gerade in Zeiten der endlosen Konsum- und Wegwerfgesellschaft stellt dies eine Eigenschaft dar, die aus mehreren Gründen wieder in den Vordergrund rücken sollte. Durch die ständige Dauerbeschallung sowie die endlose Informationsflut durch das Internet sind wir es gewohnt, permanent entertaint zu werden, und haben dabei verlernt, mit uns selbst etwas anzufangen, und die Möglichkeiten vergessen, die wir unabhängig vom TV, Smartphone und anderen elektronischen Endgeräten haben, überhaupt noch wahrzunehmen. Wie wir diese Fähigkeit wieder für uns zurückerobern und unseren Blick für die kleinen Wunder schärfen können, lernen wir dabei im letzten Kapitel des Ratgebers. Wenn uns dies erfolgreich gelingt, dann brauchen wir keinerlei Tipps und Ratgeber mehr, wo und wie wir ein Abenteuer erleben können, dann finden wir diese wieder intuitiv selbst. Das Thema ist vor dem Hintergrund der aktuell herrschenden Covid-19-Pandemie nochmals befeuert worden.

Durch Ausgangssperren und Reisebeschränkungen sowie andauerndes Homeoffice sind viele zum ersten Mal in der Situation, dass Sie nicht in der weiten Welt herumfliegen können, sondern sind gezwungen, mit dem, was sie haben, aus den Möglichkeiten, die direkt vor ihrer Haustüre liegen, das Beste zu machen. Das sollten Sie nicht als Nachteil sehen, sondern als eine Chance, wieder zurückzukommen, zu sich selbst, zur Natur und zu den wichtigen Dingen Ihres Lebens, wie die eigene Familie, ein Garten, um den man sich kümmert, oder das soziale Miteinander vor Ort. Gerade in diesen Krisenzeiten versuchen die Menschen, wieder zum Wesentlichen zurückzukommen. Wenn es plötzlich nicht mehr möglich ist, die Welt nach Lust und Laune zu bereisen, dann sind wir gezwungen, wieder das zu nutzen, was wir direkt vor unserer Haustür haben.

Diese Entwicklung trägt viele positive Aspekte mit sich. Sie fördert die Zufriedenheit und die Dankbarkeit für das, was man alles hat, und es zwingt den einen oder anderen mangels Alternativen, sich endlich mit der Schönheit seines Wohnortes, seiner Heimat, zu beschäftigen. Und jede Stadt und jedes noch so kleine Dorf haben eine eigene Geschichte und so unglaublich viel zum Entdecken, wenn man sich nur die Mühe macht, genauer hinzuschauen.

HILFREICHE UTENSILIEN FÜR IHR MIKROABENTEUER

Grundsätzlich muss keine Neuanschaffung getätigt werden für die beschriebenen Mikroabenteuer. Die folgenden Utensilien werden mit hoher Wahrscheinlichkeit alle zu Hause haben.

- Wetterfeste Kleidung
- Laufschuhe
- Rucksack, Wanderrucksack
- Alte Landkarte, Kompass (evtl. über das Smartphone)
- Brotzeitbox und Trinkflasche.

Abenteuertipps nach Jahreszeiten

FRÜHLING

Der Frühling hat etwas Magisches an sich und für viele ist es die liebste Jahreszeit. Alles erwacht wieder zum Leben und es liegt eine Aufbruchsstimmung in der Luft. Die Temperaturen sind in der Regel äußerst angenehm und es macht Spaß, viel Zeit an der frischen Luft zu verbringen, vor allem nach einem langen und kalten Winter.

An dieser Stelle können Sie sich selbst mal fragen, was ist Ihre Lieblingsjahreszeit? Warum und welche positiven Erinnerungen verbinden Sie damit?

Meistens sind es besonders schöne Erinnerungen aus Ihrer Kindheit, die Sie an eine bestimmte Jahreszeit erinnern. Beispielsweise die regelmäßigen Ausflüge mit den Eltern ins Freibad und das anschließende Lieblingseis beim Italiener um die Ecke.

Aber nun zu unseren Abenteuertipps für den Frühling – dazu finden Sie nachfolgend einige Gedankenanstöße für Unternehmungen. Die Ideen können beliebig abgewandelt, kombiniert oder nach Ihren eigenen Vorstellungen erweitert und an Ihre Lebenssituation angepasst werden.

Unternehmungen im Wald

Ziehen Sie sich wetterfeste Kleidung und bequeme Laufschuhe an und ab geht es in den nächstgelegenen Wald, nehmen Sie am besten noch einen Korb mit und ausreichend Proviant. Nun betrachten Sie die Bäume und das Moos, das am Boden liegt. Können Sie vielleicht kleine Insekten oder andere Waldbewohner entdecken? Versuchen Sie, die unterschiedlichen Bäume zu erkennen und eventuell auch zu benennen. Sammeln Sie, wenn Sie mögen, abgefallene Äste oder anderes Waldmaterial für spätere Bastelideen.

Mit Kindern ist es super, eine Lupe mitzunehmen, um kleine Insekten näher beobachten zu können. Man kann daraus einen Wettbewerb veranstalten: Wer mehr Insekten gefunden hat, oder bei älteren Kindern:

Wer mehr Namen von Bäumen und Waldbewohnern kennt. Fühlen Sie sich an den Heimat- und Sachkunde-Unterricht in der Schule zurückerinnert? Bestimmt werden Sie schnell bemerken, wie viel man eigentlich schon wieder vergessen hat und wie wenig man über unsere heimischen Wälder eigentlich weiß.

Wer das Ganze vor allem für Kinder im Nachgang noch aufpeppen und den Lernprozess steigern möchte, kauft noch das passende Sachbuch dazu und schaut es im Nachgang zusammen an. Aus dem gesammelten Waldmaterial lässt sich dazu super noch ein Plakat erstellen, auf dem man die verschiedenen Blätter aufklebt und den zugehörigen Bäumen zuordnet. Welche Arten von Wäldern befinden sich in der Nähe Ihres Wohnortes? Laubwälder und Mischwälder? Haben Sie vor Ort mehr Fichten, Kiefern, Buchen oder Eichen? Wie können Sie diese voneinander unterscheiden? Was sind die wesentlichen Merkmale und Unterschiede? Nach einer kurzen Recherche online finden Sie bereits eindrucksvolle Informationen wie etwa, dass Wälder etwa 32 Prozent der Gesamtfläche Deutschlands ausmachen, dies entspricht einer Gesamtfläche von 11,4 Millionen Hektar. Es wachsen dort rund 90 Millionen alte und junge Bäume mit einem Holzvorrat von insgesamt 3,9 Milliarden Festmeter.

Wie viele Bäume stehen wohl ungefähr in dem Wald Ihres Wohnortes? Versuchen Sie doch mal, eine grobe Schätzung vorzunehmen, und fragen Sie anschließend beim zuständigen Förster nach.

Wen dann immer noch das Fernweh plagt, der kann anschließend einen Vergleich mit anderen Ländern vornehmen: Wie ist der Waldbestand in anderen Regionen der Erde? Welche Baumarten sind dort vertreten? Neben Laub- und Mischwald wie in Deutschland vertreten, gibt es weltweit noch Trockenwälder, Hartlaubwälder, den tropischen Regenwald oder die Taiga, auch borealer Nadelwald genannt, ist höchst beeindruckend. Das größte Taiga-Gebiet, das noch völlig der Natur entspricht, liegt auf der Grenze zwischen Kanada und Alaska. Schauen Sie sich verschiedene Bilder dazu an und ziehen einen Vergleich mit dem Wald bei Ihnen vor Ort, hat er bei genauerem Hinschauen nicht ebenfalls viele großartige Wunder zu bieten?

Weitere Ideen für Abenteuer im Wald:
- Ein Baumhaus bauen, Anleitungen hierfür sind zahlreich im Internet zu finden, nach Erstellung Ihrer ersten selbst gebauten Unterkunft müssen Sie unbedingt auch eine Nacht dort verbringen oder zumindest ein Picknick dort abhalten.

Nützliche Anleitungen für den Baumhaus-Bau:
https://www.haus.de/garten/baumhaus-selber-bauen-schritt-fuer-schritt
https://www.heimwerker.de/baumhaus-bauen/

Es finden sich auch mehrere Bücher sowie zahlreiche Tutorials auf YouTube zu diesem Thema, Sie können sich einige Ideen daraus herauspicken und eine geeignete Variante für sich kreieren.

- Generell etwas aus herabgefallenen Ästen zu bauen, wie etwa Pfeil und Bogen. Der Fantasie sind hier keine Grenzen gesetzt, so geht der aktuelle Trend hin zum selbst gebauten Holzstuhl, einer Garderobe aus Baumstämmen und allen möglichen Varianten an Dekoration, selbst zusammengestellt aus dem heimischen Wald. Auf Pinterest finden Sie hierzu schier unendliche kreative Ideen. Schauen Sie doch selbst einmal hinein und lassen Sie sich inspirieren.
https://www.vaeter-zeit.de/pfeil-bogen/selber-bauen.php
https://www.pinterest.de/toffeefay/kreativ-mit-%C3%A4sten-und-baumteilen/

- Ein Fernglas von Opa ausleihen und versuchen, damit Rehe oder andere Waldtiere zu erhaschen; oder Sie können damit Vogelnester suchen.

- Ein Vogelnest selbst bauen, im nächstgelegenen Wald anbringen und nach einiger Zeit zurückkehren, um zu schauen, ob bereits ein Vogel darin genistet hat.

- Trampelpfad, Sinnespfad oder Naturlehrpfad ausfindig machen und besuchen. Mit Kindern eignen sich auch hervorragend Waldspielplätze oder Wildtierparks. Am besten ohne Auto anfahren, sondern die Fahrräder oder öffentlichen Verkehrsmittel dafür benutzen.

- Wem dies Ihnen alles zu langweilig erscheint oder falls Sie ein Actionliebhaber sind, dann kann eine Tour mit dem Motocross oder dem Mountainbike quer durch den Wald über Stock und Stein das Richtige für Sie sein. In diesem Fall sollten Sie zur empfohlenen Standardausrüstung unbedingt noch ein Fahrradreparatur- und Erste-Hilfe-Kit mitnehmen, letzteres ist bei allen Ausflügen, an denen Kinder teilnehmen, zu empfehlen.

- Ein Zelt mitnehmen und eine Nacht im Wald verbringen oder noch besser direkt unter freiem Himmel schlafen: Wichtig, warme Schlafsäcke, Decken und eine Taschenlampe nicht vergessen!

- Nachtwanderung im Wald veranstalten. Dies ist auch in Form einer Schnitzeljagd möglich. Im Dunkeln mit erhöhtem Schwierigkeitsgrad. Hierfür auch unbedingt an die Taschenlampe denken, im besten Fall eine Stirnlampe mitnehmen.

- Pilze und Wildkräuter sammeln und zu Hause verwerten. Aber bitte darauf achten, ob die mitgenommenen Fundstücke auch bedenkenlos essbar sind. Deshalb vor dem Verzehr gut recherchieren oder jemanden zurate ziehen, der sich mit dem Thema auskennt. Hier bietet es sich auch wieder an, ein Sachbuch über die heimischen Pilze und Wildkräuter zu kaufen und das Ganze mit den Kindern zusammen durchzugehen.

- Ein Wettrennen im Wald veranstalten. Dafür einen festen Zielpunkt in einiger Entfernung ausmachen und jeder darf seine eigene Route ans Ziel ausfindig machen.

<u>Persönliche Geheimtipps:</u>

- Mit dem zuständigen Förster/Jäger sprechen und nach einer geführten Erkundungstour durch den Wald fragen. Falls mehrere Leute Interesse haben, wäre dies gegen eine Spende bestimmt möglich.

- Einmal eine Jägerleiter besteigen und den Ausblick genießen. Entdecken Sie vielleicht ein Reh? Wie fühlt sich die Luft dort oben an? Versetzen Sie sich einmal in die Situation des Jägers: Wie fühlt er sich dort oben wohl, während er das Wild beobachtet und auf einen geeigneten Zeitpunkt wartet?

- Beim Jäger vor Ort nachfragen, wann die nächste Treibjagd ist. Eine Treibjagd wird oft auch Drückjagd genannt und bezeichnet eine Form der Jagd, bei der das Wild in Richtung der Jäger getrieben wird. Der Unterschied der beiden Begriffe liegt darin, welches Wild gejagt wird. Bei der Drückjagd wird ausschließlich Schalenwild, bei der Treibjagd vorrangig Niederwild gejagt.

Die Aufgabe des Drückens durch den Wald in Richtung der vorn aufgestellten Jäger übernehmen hierbei die sogenannten Treiber. In dörflichen Gegenden kann man sich als Treiber freiwillig melden. Falls Sie dieses Spektakel gern miterleben möchten: Es verspricht definitiv einen gewissen Kick. Viele heutige Jäger haben als Treiber angefangen und so ihre Leidenschaft für die Jagd entdeckt. Ein Jagdschein kann praktisch jeder machen, etwas Geld und Zeit muss man dafür aber schon investieren. Falls Sie das Thema interessiert, finden Sie unten noch einen Link für einen Beitrag, in dem ein Jagdneuling seinen ersten Eindruck einer Treibjagd detailliert schildert.

https://der-medienberater.de/2017/12/04/selbsterfahrung-als-treiber-erstmals-bei-der-jagd/

Diese Arten von Treibjagden gibt es in vielen Gegenden auch zu Pferd. Erkundigen Sie sich einfach beim Reitstall vor Ort oder fragen Sie einen Ihnen bekannten Pferdebesitzer. Auch, wenn man nicht selbst hoch zu Ross dabei ist, verspricht schon allein das Beobachten einen Nervenkitzel.

Unternehmungen direkt vor der Haustür

Manchmal muss man noch nicht einmal bis zum nächsten Wald fahren, sondern kann direkt vor der Haustür starten. Versuchen Sie, hinauszugehen und bewusst alles um sich herum zu beobachten.

In welchem Stadtviertel wohne ich? Was macht es besonders? Wie ist seine Entstehungsgeschichte? Wie viele Nachbarn habe ich, kenne ich sie überhaupt? Wer sind sie und welche Lebensgeschichte haben sie wohl? Ich möchte Sie dazu ermutigen, Ihren Wohnort und die Menschen um Sie herum bewusster wahrzunehmen, sich für sie zu interessieren und mit Ihrem Umfeld zu interagieren. Warum fangen Sie nicht mal ein Gespräch mit der Nachbarin an, mit der sie bisher nur einige Wörter gewechselt haben, die Sie aber insgeheim sympathisch finden?

Laden Sie sie doch auf einen Kaffee ein, fragen Sie nach Ihrem Leben, wie es verlaufen ist, was ihre Schlüsselerlebnisse waren und was sie daraus gelernt hat, dass sie Ihnen mitgeben kann als Tipp.

Am meisten entwickeln wir uns im Kontakt mit anderen Menschen – durch den sozialen Austausch. In dörflichen Gegenden ist es meist noch selbstverständlich, dass man sich austauscht, die wesentliche Lebensgeschichte des Nachbarn bekannt ist und man sich bei Problemen mit Rat und Tat zur Seite steht. Ich lege Ihnen ans Herz: Versuchen Sie, eine freundliche Verbindung zu Ihren Nachbarn aufzubauen, denn es wird Ihre Lebensqualität erheblich erhöhen. Und wenn Sie mit den Nachbarn nicht so ganz auf einer Wellenlänge sind und es für Sie in dem Bereich unmöglich erscheint, dann fangen Sie in Ihrer Familie an. Haben Sie das Glück und haben noch eine Oma, einen Opa oder sogar noch Urgroßeltern? Besuchen Sie diese und nehmen sich dabei vor, die Strecke mit allen denkbaren Mitteln aber nicht mit dem Auto zurückzulegen. Nehmen Sie eine kleine Aufmerksamkeit mit, setzen Sie sich zusammen mit ihnen an den Tisch und fragen nach deren Lebensgeschichte, schauen Sie zusammen ein altes Fotoalbum an und schwelgen Sie in Erinnerungen.

Vielleicht denken Sie sich nun: Das habe ich doch alles schon gemacht und natürlich kenne ich die wesentliche Lebensgeschichte meiner Großeltern. In diesem Fall habe ich noch eine weitere Idee für Sie: Haben Ihre Großeltern vielleicht an einen anderen Ort gelebt oder gibt es einen Ort, mit dem sie besonders schöne Erinnerungen verbinden? Falls dies zutrifft und es gesundheitlich für Ihre Großeltern möglich ist, dann machen Sie ihnen doch eine Freude und fahren gemeinsam mit ihnen dorthin. Falls es zusammen nicht funktioniert, dann fahren Sie zu diesem speziellen Ort, machen dort einige schöne Fotos und zeigen diese Ihren Großeltern beim nächsten Treffen.

Weitere Tipps direkt vor der Haustür:
- Einen „geheimen" Lieblingsplatz ganz in der Nähe Ihrer Wohnung ausfindig machen: Falls Sie noch keinen

haben, ist das die Gelegenheit, endlich einen für sich ausfindig zu machen. Selbst in der Großstadt kann man überall kleine, schöne Ecken finden. Dann den Lieblingskaffee vom Bäcker in der Nähe holen oder im Coffee-to-go-Becher zubereitet mitnehmen, eine kleine Leckerei einpacken, sich dort hinsetzen und die Gedanken schweifen lassen.

Wer es lieber geselliger mag, kann sich in sein Lieblingscafé setzen, am besten allein an einem viel belaufenen Eck in der Stadt, es reicht schon, dort in Ruhe zu sitzen, die Gedanken schweifen zu lassen und die Leute um einen herum zu beobachten. Stellen Sie sich dabei folgende Fragen: Wie viele verschiedene Leute leben eigentlich in meiner Stadt? Wie interagieren sie miteinander? Welche Lebensgeschichte tragen sie mit sich? Dies ist eine gute Übung, um sich der Umgebung und den Menschen um einen herum bewusster zu werden.

- Sie können sich in den nächsten Bus oder Zug, der am naheliegendsten zu Ihrer Wohnung ist, setzen und sich vor Abfahrt fest vornehmen, beispielsweise an der vierten Haltestelle auszusteigen und von dort aus nach Hause zu laufen. Ziel der Unternehmung ist es, die unmittelbare Nachbarschaft bewusster wahrzunehmen.

Betrachten Sie auf dem Nachhauseweg die Gegend und die Häuser um sich herum genau. Gebäude können uns so viel erzählen. Fragen Sie sich beim Betrachten: Wer wohnt wohl in diesem Haus? Wann wurde es erbaut? In welchem Baustil wurde es errichtet? Wie ist allgemein die Bebauung in meinem Viertel?

- Mit Kindern bietet es sich an, eine Spielplatztour zu machen. Anstatt immer wieder auf den gleichen Spielplatz zu gehen, schauen Sie doch mal in Google Maps nach, dort sind mittlerweile die meisten Spielplätze eingezeichnet.

Wählen Sie zusammen mit Ihren Kindern einen neuen aus, beispielsweise in 30-minütiger Entfernung zu Ihnen. Nun überlegen Sie gemeinsam, wie Sie am leichtesten dort hinkommen, zu Fuß, mit dem Bus oder der Straßenbahn.

- Werden Sie selbst zum Gärtner, ob auf Ihrem Fensterbrett, auf dem Balkon oder im Garten. Gehen Sie hierfür in den nächsten Baumarkt/Gärtnerei, kaufen Sie notwendige Materialien ein und schon kann es losgehen.

Es gibt unzählige Tutorials auf YouTube oder auch Blogs, die sich mit diesem Thema beschäftigen, durch die Sie sich großartige Ideen holen können. Nachfolgend ein Link über die elf besten Projekte für Ihren Biogarten:

https://www.smarticular.net/biogarten-selbermachen-projekte-naturnahes-gaertnern/

Falls Ihnen das Gärtnern zusagt, empfehle ich Ihnen, sich weiter mit dem Thema Selbstversorgung aus dem eigenen Garten zu beschäftigen. Hierzu gibt es ebenfalls unendlich viele Anregungen und Literatur.

- Eine weitere schöne Idee, die ebenfalls im weitesten Sinne mit Selbstversorgung zu tun hat, ist es, seinen eigenen Honig zu produzieren. Werden Sie selbst zum Imker. Es ist nicht nur ein wunderbares Naturerlebnis, sondern trägt auch zur Erhaltung der Bienenvölker bei, die seit einigen Jahren stark vom Aussterben bedroht sind. Die Bienenbestände zu erhalten, ist für die Funktionalität unseres Ökosystems von größter Wichtigkeit.

Falls Ihnen Nachhaltigkeit und Naturschutz am Herzen liegen, sollten Sie es unbedingt einmal ausprobieren. Und es ist auch gar nicht so kompliziert, wie man zuerst befürchtet. Im Prinzip ist es am einfachsten im eigenen Garten, aber auch auf dem Balkon oder sogar auf dem Dach machbar. Und auch, wenn Sie nicht auf dem Land leben, ist dies kein Ausschlusskriterium. Mit Ihren Nachbarn und dem Wohnungseigentümer müssen Sie sich aber dennoch absprechen.

- Unter https://www.stadtbienen.org/ finden Sie viele hilfreiche Infos zum Imkern in der Stadt. Dort werden auch Imkerkurse in nahezu allen Städten Deutschlands angeboten. Ein ausführlicher Kurs mit einer Dauer von einem Jahr kostet dort 340 Euro plus die Ausrüstung, die Sie dafür noch benötigen, wobei man hier sehr vieles gebraucht kaufen kann.

Wenn Ihnen das zu viel ist und Sie zuerst einmal einen Einblick in die Welt der Bienen bekommen wollen, gibt es auch einen Schnupperkurs über vier Stunden, der mit 65 Euro angesetzt ist. Ab September 2021 wird es auch ein virtuelles Orientierungsseminar zum Thema geben. Meine persönliche Variante wäre allerdings, es erst einmal auf eigene Faust und ohne finanziellen Aufwand zu versuchen.

Wenn Sie auf dem Land leben, sollte dies kein großes Problem sein. Machen Sie den nächsten Imker in Ihrer Nähe aus und kontaktieren und fragen Sie ihn, ob er Sie nicht mal einen Tag lang mitnehmen könnte, da Sie sich für die Imkerei interessieren. Vor allem auf dem Dorf freuen sich die meisten älteren Herrschaften sogar sehr über interessierte Menschen, denen sie ihr Hobby näherbringen können. Und auch, wenn Sie in der Stadt wohnen, können Sie erst einmal versuchen, einen Imker in der Nähe zu finden und dort direkt anzufragen. Mehr als eine Absage können Sie nicht erhalten und in dem Fall machen Sie dann doch den Schnupperkurs. Weitere Informationen zum Selbst-Imkern und allgemein zur Bienenhaltung finden Sie unter folgenden Seiten:

https://utopia.de/ratgeber/imkern-fuer-anfaenger/

oder

https://www.bee-careful.com/de/initiative/imkern-fuer-anfaenger-so-kann-man-imker-werden/.

- Schnitzeljagd/Geocaching rund um Ihren Wohnort: Bilden Sie hierfür ein Team oder gestalten Sie es als Schnitzeljagd für Ihre Kinder. Für Letzteres verteilen Sie überall kleine Zettel und vermerken auf jedem einen Tipp, wo der nächste Hinweis zu finden ist. Sie können es auch im Stil einer Schatzsuche machen, um es für die Kinder interessanter zu gestalten. Das bedeutet, am Ziel gibt es dann ein Geschenk für alle, beispielsweise die Lieblingssüßigkeit.

Oder Sie machen als Überraschung ein schönes Picknick im Anschluss. Für Erwachsene eignet sich die

GPS-Schnitzeljagd, auch als Geocaching bekannt. Diese moderne Schnitzeljagd erfreut sich seit einigen Jahren großer Beliebtheit und mittlerweile gibt es nach aktuellen Angaben rund 367.000 versteckte Geocaches deutschlandweit. Ein Geocache ist ein wasserdichter Behälter, in dem sich ein Logbuch sowie häufig auch verschiedene kleine Gegenstände zum Tauschen befinden. In das Logbuch kann man sich eintragen, um seine erfolgreiche Suche zu dokumentieren. Die Verstecke der Geocaches werden anhand geografischer Koordinaten im Internet in speziell dafür eingerichteten Datenbanken veröffentlicht und können mithilfe eines GPS-Empfängers gefunden werden. Ein GPS-fähiges Smartphone ist dafür ausreichend.

Bekannte Datenbanken für das Geocaching sind Openchaching.de, Geochaching.com, Navicache.com oder Terracaching.com. Wobei die erste Seite, Opencaching.de, die größte offen zugängliche und nicht kommerzielle Seite ist. Unterhalb finden Sie den Link dazu. https://www.opencaching.de/

- Machen Sie ein Picknick im Park, nehmen Sie mehr Essen mit, als Sie für sich benötigen, und laden Sie spontan jemanden dazu ein, sich zu Ihnen zu setzen, um mitzuessen. Fragen Sie dafür die erstbeste Person, die Sie dort treffen und die halbwegs sympathisch auf Sie wirkt. Beim gemeinsamen Picknicken stehen die Chancen gut für ein nettes, ungezwungenes Gespräch. Der Austausch mit einer anderen, Ihnen vollkommen unbekannten Person wird unter Garantie Ihren Horizont erweitern. Und wer weiß, vielleicht gewinnen Sie am Ende des Tages sogar einen neuen Freund hinzu. In jedem Fall sind Sie um eine Erfahrung reicher und es verspricht Nervenkitzel, denn es braucht für den einen oder anderen schon etwas Überwindung, eine fremde Person anzusprechen, auf die Gefahr hin, vielleicht eine Ablehnung zu erhalten.

Bestimmt erscheint es Ihnen zuerst einmal als unangenehm und vielleicht macht es Ihnen sogar ein bisschen Angst, aber genau darum geht es beim Mikroabenteuer doch: Es geht darum, die eigene Komfortzone zu verlassen, um etwas Neues zu erleben und an dieser Erfahrung zu wachsen. Nur auf diese Weise können Sie sich weiterentwickeln. Der Anfang ist immer etwas schmerzhaft und kostet Überwindung, aber ich verspreche Ihnen, am Ende des Tages werden Sie es nicht bereuen.

SOMMER

Für viele ist sicherlich der Sommer die liebste Jahreszeit. Vor allem aus der eigenen Kindheit verbindet man damit viel Positives. Wie beispielsweise die langen Schulferien, Eis essen bis zum Umfallen, Ausflüge in Schwimmbäder und Freizeitparks sowie natürlich den jährlichen Familienurlaub ins Ausland. Für viele war und ist es immer noch die gemeinsame Familienzeit des Jahres. Neben den üblichen Sommeraktivitäten gibt es aber noch viele weitere, die direkt vor der Haustüre oder in unmittelbarer Nähe dazu realisierbar sind. Und manchmal muss man die scheinbar einfachen Unternehmungen des Sommers, wie beispielsweise Eis zu essen, einfach etwas aufpeppen, um wieder ein kleines Abenteuer daraus zu machen. Nachfolgend erkläre ich Ihnen, wie das funktioniert.

Das nächste Mal, wenn Sie beschließen, mit der Familie, Freunden oder dem Partner ein Eis essen zu gehen, probieren Sie doch folgende Variante: Anstatt selbst Ihre Lieblingseissorten auszuwählen und womöglich das Gleiche wie immer zu essen, bitten Sie doch mal Ihren Partner, eine Kreation für Sie zusammenzustellen.

Um das Ganze noch etwas spannender zu machen,

binden Sie sich ein Tuch um die Augen, falls vorhanden, oder schließen Sie diese einfach. Probieren Sie nun das Eis und versuchen Sie zu erraten, welche Sorte das wohl sein könnte. Wer Schwierigkeiten mit dem blinden Eis-Essen hat, könnte sich auch füttern lassen. Das Ganze mag sich zuerst sehr albern und kindisch anhören, aber probieren Sie es doch einfach aus. Es kann zu einem richtigen Spaß werden. Vor allem die Kinder machen sehr gern bei derartigen Ratespielen mit. Wer möchte, macht daraus einen kleinen Wettbewerb, und der Gewinner, der die meisten Eissorten korrekt erraten hat, darf sich beispielsweise noch eine Eiskugel aussuchen.

Eine weitere Variante des Eis-Essens, die für mehr Abwechslung sorgt, ist es, bewusst zu einer neuen Eisdiele zu gehen, die beispielsweise mindestens 30 Minuten von Ihrem Wohnort entfernt ist und die Sie vorher noch nie ausprobiert haben. Aber anstatt diese mit dem Auto anzufahren, versuchen Sie, diese entweder zu Fuß oder maximal mit dem Bus oder anderen öffentlichen Verkehrsmitteln zu erreichen. Die Freude am Ziel wird viel größer sein, als wenn Sie bequem mit dem Auto dort hinfahren, und vielleicht entdecken Sie auf diese Weise Ihren neuen Lieblingsitaliener.

Wenn Sie immer noch nicht genug vom Eis-Essen

haben, dann werden Sie doch einmal selbst zum Gelatiere und kreieren Sie Ihr eigenes Eis. Dies ist nicht nur für die Besitzer einer Eismaschine oder eines Thermomix möglich, sondern kann auch ohne derartige Gerätschaften funktionieren. Ihrer Fantasie sind hierbei keine Grenzen gesetzt, Eis am Stiel, Fruchtsorbet oder klassisches Milcheis. Mit Ihren Lieblingskeksen oder Trendgewürzen wie beispielsweise Matcha. Nichts ist unmöglich.

Einige Inspirationen hierfür finden Sie im nachfolgenden Blog.

https://www.kitchenstories.com/de/stories/eis-selber-machen-ganz-einfach-und-ohne-maschine

Weitere Ideen für den Sommer:

- Abgelegene Seen auf der Karte suchen und mit dem Fahrrad erkunden, Picknickdecke und Badesachen mitnehmen und eine schöne Zeit dort verbringen.

- Stehpaddel oder das klassische Kanu auf dem nächsten See fahren.

- Sind Sie ein Actionliebhaber? Dann gibt es die Möglichkeit, Rafting-Touren zu machen, Rafting ist Wildwasserfahren mit einer Gruppe in einem Schlauchboot.

In der Regel gibt es einen Guide, der das Ganze führt und auch für die notwendigen Sicherheitsvorkehrungen sorgt. Je nach Schwierigkeitsgrad des befahrenen Gewässers kann es dabei schon einmal richtig zur Sache gehen. Es sollte Ihnen also nichts ausmachen, etwas nass zu werden. Fünf Orte, an denen dies aktuell in Deutschland möglich ist, sind an der Iller, an der Isar, am Rhein und der Ruhr, in Berchtesgaden sowie im Schwarzwald.

https://www.checkyeti.com/blog/de/wildwasser-rafting-deutschland-5-hotspots

- Wenn Sie das Außergewöhnliche lieben, probieren Sie einmal Zorbing aus. Sie wissen nicht, was das sein soll? Zorbing bezeichnet eine Aktivität, bei der einer oder mehrere Menschen im Inneren einer aufblasbaren Kugel einen Abhang hinunter oder auch auf einer flachen Ebene rollen.

Vielleicht haben Sie es schon mal zu Wasser auf dem örtlichen Volksfest gesehen? Es ist ebenso auf Schnee und Eis möglich und somit für jede Jahreszeit geeignet. Falls Sie nicht gerade unter Platzangst leiden, ist es einen Versuch wert. Auf folgender Website können Sie sich näher darüber informieren:

https://www.abenteuerfreundschaft.de/zorbing-zuzweit-freizeitaktivitaet/.

- Generell picknicken, sei es auf dem Balkon, im eigenen Garten, in der Wildnis, am abgelegenen See, im Park, einfach dort, wo Sie sich wohlfühlen.

- Extra früh aufstehen und an einem schönen Platz in Ihrer Nähe den Sonnenaufgang genießen.
Im Idealfall ohne Smartphone, dafür mit einem leckeren Kaffee oder Tee. Oder spät abends hinausgehen und den Sonnenuntergang genießen.

- Auf einem Hügel/Berg in Ihrer Nähe klettern und es sich oben gemütlich machen, nachsinnen, picknicken, wonach Ihnen ist.

- An einem lauen Sommerabend im Garten, auf dem Balkon oder draußen in der Natur übernachten und nachts den Sternenhimmel beobachten. Wenn Sie mehr der Planungsmensch sind, können Sie sich vorher informieren und speziell eine Nacht heraussuchen, in der ein klarer Himmel und viele Sterne zu erwarten sind. Hilfreiche Apps für Ihre persönliche Himmelsbeobachtung sind Star Walk 2 free, ISS Detektor oder Sky Safari.

- Spontan den Grill anschmeißen und die Nachbarn einladen oder einfach jemanden, den Sie gerade an Ihrem Balkon oder Garten vorbeilaufen sehen.

- An den Stadtstrand fahren, falls es in der Nähe einen gibt, oder einfach zum Sandkasten des nächsten Spielplatzes gehen und dort eine riesige Sandburg bauen.

- Ein Planschbecken im Garten aufstellen und randvoll mit Wasserbomben füllen. Freunde und Nachbarn dazu einladen und gemeinsam einen witzigen Nachmittag verbringen. Optional noch eine Wasserrutsche hinzufügen.

- Weitere, eher klassische Unternehmungen für den Sommer wären: Sommerrodelbahn zu fahren, Schwimmen zu gehen, am besten an einem abgelegenen Fluss ohne allzu großen Menschenauflauf, aufs Erdbeerfeld zu gehen oder einfach selbst spontan loszugehen, mit einem Korb in der Hand und Kirschen und andere Beeren sammeln.

Zu Hause können Sie daraus einen leckeren Smoothie zubereiten oder einen Beerenkuchen backen. Die Möglichkeiten sind vielfältig und etwas zu essen, was Sie selbst gesammelt haben, wird Ihnen ein ganz anderes Gefühl von Wertschätzung dafür geben.

HERBST

Nun kommen wir zu meiner persönlichen Lieblings-jahreszeit, den Herbst. Der Herbst steht für bunte Blät-ter und es gilt, zur Ruhe zu kommen nach einem lauten und bewegten Sommer. Und auch im Herbst kann man viele großartige Unternehmungen in der Natur bzw. direkt vor der Haustür machen.

Eine von vielen Ideen für ein kleines Mikroaben-teuer ist es, eine Picknicktasche zu packen, eine große Decke einzupacken und darauf los zu wandern auf der Suche nach Ihrem perfekten Picknickplätzchen. Wenn Sie spontan sind, dann empfehle ich Ihnen, sich gar keine Route vorzunehmen, sondern wirklich einfach loszulaufen und sich treiben zu lassen. Welcher Weg schaut interessant aus? Möchte ich in den Wald, doch lieber in den nächsten Park oder verschlägt es mich heute in die Altstadt und ich durchschweife die alten engen Gassen auf der Suche nach einem neuen, noch unentdeckten Plätzchen?

Eine weitere Idee ist es, sich vorzunehmen, den höchsten Platz in Ihrer Stadt oder in Ihrem Dorf auszumachen, auf dem man sich niederlassen, den Ausblick genießen und eine Kleinigkeit essen kann. In der Großstadt kann es ein hohes Parkhaus, der Fernsehturm, das höchste Hochhaus sein, auf dem Dorf vielleicht der Hügel hinterm Haus, die Erhebung am Ende des Waldes. Wo es auch immer sein mag, breiten Sie Ihre Picknickdecke aus, machen Sie es sich gemütlich und lassen Sie den Ausblick auf sich wirken. Falls es von der Entfernung nötig ist, ein Verkehrsmittel zu nutzen, dann verzichten Sie bewusst auf die Bequemlichkeit des Autos und fahren Sie Bahn, Bus oder U-Bahn. Auf dem Dorf finden Sie auch immer wieder nette Bauern, die Sie mit Sicherheit, wenn sie freundlich nachfragen, ein Stück auf ihrem Traktor mitfahren lassen. So ein riesiger Deutz kann für einige schon ein Abenteuer an sich sein, für Kinder sowieso.

Allen Städtern empfehle ich, sich unbedingt einmal ins Landleben zu stürzen und wenn Sie ein Landei sind, dann gehen Sie unbedingt mal in die nächste Großstadt und lassen das Leben dort auf sich wirken, stürzen Sie sich in den Trubel, fahren Sie mal mit der U-Bahn und spüren Sie bewusst die Umtriebigkeit und Vielfältigkeit der Stadt. Schon allein die Vielfältigkeit der Leute und die Unterschiede in der sozialen Interaktion sind eine bereichernde Erfahrung und erweitern den eigenen Horizont. Einzige Voraussetzung dabei ist, dass Sie sich darauf einlassen wollen. Sprechen Sie mit Menschen, mit denen Sie in Ihrem normalen Alltag keine Berührungspunkte hätten. In der Stadt finden Sie dafür viele verschiedene Personen aus den unterschiedlichsten Kulturen und sozialen Schichten. Manchmal ist es ein einziges Gespräch mit einem anderen Menschen, das Ihnen plötzlich unerwartete Türen öffnet und einen neuen Blickwinkel schenkt. In dörflichen Gegenden treffen Sie sowohl junge, meist bodenständige Menschen und auch die ältere, stark dörflich verwurzelte Generation, die wiederum auf viele Aspekte des Lebens eine reifere Sicht hat. Schlussendlich kann man von jedem von ihnen etwas lernen. Alles, was uns aus unsere Komfortzone holt, kann mit der richtigen Einstellung zu einem bereichernden Abenteuer werden.

Eine weitere schöne Idee, um ein Abenteuer zu erleben und neue Kontakte zu knüpfen, ist es, die gute alte Flaschenpost auf den Weg zu schicken. Schreiben Sie einen netten Brief mit Ihren Kontaktdaten, packen Sie ihn gut verschlossen in eine Glasflasche und nehmen Sie dies mit auf Ihre spontane Wanderung. Wenn sich irgendwo auf dem Weg ein Fluss oder ein kleiner Bach findet, dann schicken Sie Ihre Flaschenpost los.

Wahrscheinlich haben Sie das Ganze schon vergessen, wenn dann eines Tages ein Brief in Ihrem Postkasten liegt und Sie an diesen schönen Tag zurückerinnert. Nun zu einem meiner persönlichen Favoriten. Machen Sie die beschriebene spontane Wanderung, lassen Sie das Smartphone zu Hause und wandern Sie einfach ohne große Vorbereitung und vor allem ohne das allgegenwärtige Handy als Back-up darauf los. Wir haben uns so an die permanente Präsenz des Handys gewöhnt, sodass es für die meisten unter uns wahrscheinlich erst einmal eine riesige Überwindung sein wird.

Aber glauben Sie mir, es lohnt sich. Ohne das viereckige Ding haben Sie nämlich beide Hände und beide Augen frei, um wirklich wieder mal bewusst die Umgebung und die Menschen um sich herum wahrzunehmen. Und was soll schon passieren? Das mobile Endgerät gibt es noch keine 40 Jahre und doch scheint es für die meisten von uns so, als ob es lebensnotwendig sei. Dem ist aber nicht so, man kann gut ohne zurechtkommen und es hat viele Vorteile, sich ab und an davon zu befreien. Es besteht kein Zweifel daran, dass es uns viele neue Möglichkeiten eröffnet hat, aber es hat uns auch entfernt von den wunderbaren kleinen Abenteuern und dem inspirierenden Austausch mit anderen

Menschen. Deshalb, wenn Sie unterwegs etwas benötigen, fragen Sie doch einfach Passanten oder Anwohner. Sie werden erstaunt sein, wie hilfsbereit die meisten Menschen sind. Ich bin mir sicher, wenn Sie jemanden nach dem Weg fragen oder ein Handy zum kurzen Telefonieren benötigen, wird sich immer eine hilfsbereite Person dafür finden. Und im besten Fall entsteht dabei noch ein interessantes Gespräch.

Wenn Ihnen die Ideen ausgehen, was Sie noch unternehmen können oder welche schönen Ecken es noch in dem Ort, den Sie gerade erkunden, gibt, fragen Sie doch einfach mal die Menschen um sich herum. Viele sehen das Handy als Absicherung für den Notfall, um schnell jemanden erreichen zu können. Aber vor allem, wenn Sie in bewohnten Gegenden unterwegs sind, findet sich doch wirklich immer eine Möglichkeit, einen Anruf zu tätigen. Falls Sie die hierfür benötigte Nummer nicht auswendig im Kopf haben, schreiben Sie sich einfach einen kleinen Zettel und nehmen Sie diesen mit. Eine weitere Idee, um herauszukommen und endlich mal die eigene Umgebung besser kennenzulernen, stellt eine thematische Wanderung dar. Spielen Sie selbst den Touristen in Ihrer Stadt. Suchen Sie sich ein Thema, beispielsweise Burgen und Schlösser, und recherchieren Sie, was Sie dazu in der Nähe Ihres

Wohnortes finden. Nachdem Sie einige Anlaufstellen gesammelt haben, machen Sie einen groben Plan und versuchen Sie, alle Punkte an einem Tag zu besuchen. Bestimmt finden Sie auf diese Weise Sehenswürdigkeiten in unmittelbarer Nähe, von denen Sie zuvor nichts ahnten. Das Thema können Sie frei nach Ihren Interessen aussuchen, anstatt Burgen eignen sich auch Denkmäler, Parks, Naturschutzgebiete, Flüsse, Wälder oder auch große Landwirtschaftsbetriebe.

Alles, was Ihr Interesse weckt, ist denkbar. Auch große und kleine Museen sowie alle Arten von Ausstellungen sind vor allem bei schlechterem Wetter gut geeignet. Eine weitere Indoor-Alternative stellen Gebetshäuser der verschiedenen Konfessionen dar. Meinen bisherigen Erfahrungen nach wird man in diesen meist freundlich empfangen. Stellen Sie sich folgende Fragen dazu: Haben Sie sich mal damit beschäftigt, wie viele Kirchen oder Moscheen es in Ihrer unmittelbaren Nähe gibt? Gibt es vielleicht auch ein jüdisches Gemeindehaus oder Häuser weiterer Konfessionen?

Natürlich müssen Sie diese Orte mit besonderem Respekt behandeln und betreten, aber solange Sie sich um einen respektvollen Umgang bemühen, steht einer Besichtigung mit Sicherheit nichts im Wege. Glauben Sie mir, es wird Ihren Horizont erweitern. Oft lernt man an diesen Orten besondere Menschen kennen und wenn Sie interessiert sind, bringen diese Ihnen gern Ihre Weltanschauung näher.

Oder Sie recherchieren über die Geschichte Ihres Wohnortes: Was waren Schlüsselpunkte in der Entstehungsgeschichte? Wie sah es früher aus? Gab es mal eine Stadtmauer? Falls zutreffend, was ist noch davon übrig? Wie haben sich die Bebauung und die Stadtstruktur verändert? Weitere Informationen hierzu finden Sie in der Regel in den Stadtarchiven oder am bequemsten im Internet.

Drucken Sie sich ruhige alte Stadtkarten dazu aus, um sich die Veränderung in der Bebauung besser veranschaulichen zu können. Fahren Sie dann die wichtigsten Punkte ab und schauen Sie, wie es heute dort ausschaut. Finden Sie noch Hinweise auf die früheren Gebäude oder steht eines davon vielleicht noch? Sie werden nach einer derartig intensiven Besichtigung Ihren Heimatort mit anderen Augen wahrnehmen.

Weitere Ideen für den Herbst:
- Blätter sammeln und daraus etwas basteln, Ideen dazu gibt es unzählige im Internet.

- Herabfallende Blätter zu fangen versuchen, das ist

tatsächlich vor allem bei leichtem Wind gar nicht so einfach und endet meist im Gelächter. Auf diese Idee hat mich mein dreijähriger Sohn gebracht, nachdem er mit mir daraus spontan einen Wettbewerb gemacht hat.

- Aus Holzrinde ein Floss bauen und auf dem See fahren lassen, das Floss treiben lassen und versuchen, zu Fuß so weit wie möglich zu folgen.

- Flaschenpost verschicken und ebenfalls so weit wie möglich der treibenden Flasche folgen. Auf einer mitgebrachten Karte nachzuvollziehen versuchen, wohin ihr Weg sie wohl führen wird.

- Allgemein sind ebenso im Herbst alle Unternehmungen im Wald, wie im Gliederungspunkt „Frühling" ausführlich beschrieben, zu empfehlen.

- Ebenfalls eignet sich der Herbst gut, um eine Schnitzeljagd rund um Ihren Wohnort zu veranstalten. Dazu kleine Zettelchen beschriften und diese an ausgewählten Fixpunkten anbringen, wobei der erste Zettel immer einen Hinweis auf den Fundort des weiteren Zettels gibt. Dies kann man auch thematisch gestalten. Mit

Kindern eignen sich dazu beispielsweise die Spielplätze der Umgebung.

- Im Garten oder in der freien Natur ein tieferes Loch buddeln und schauen, welche Tiere, Steine und sonstige Überraschungen dort zu finden sind, falls vorhanden: hierfür ein Mikroskop mitnehmen.

- Einen Drachen selbst bauen: Dies ist preisgünstig möglich und im Internet finden sich zahlreiche Anleitungen hierfür, zum Beispiel hier: https://www.vaeter-zeit.de/drachen-selber-bauen/drachen-steigen.php.
Nachdem man den Drachen zusammengebaut hat, muss nur noch ein weites Feld ausfindig gemacht werden und der Flugspaß kann beginnen. Falls sich kein Feld in Ihrer Nähe findet, schauen Sie mal, ob auf dem nächsten Sportplatz gerade der Rasen frei ist. Funktioniert genauso gut.

- Wer sich generell für das Thema Fliegen interessiert und bereit ist, etwas Geld dafür zu investieren, dem kann ich Paragliding oder einen Segelflug ans Herz legen. Falls Sie in der Nähe der Wasserkuppe leben, kann ich Ihnen folgende Fliegerschule ans Herz legen; es sind auch preiswerte Schnupperkurse möglich: https://fliegerschule-wasserkuppe.de/.

- Einen ganzen Tag lang Fischen gehen. Versuchen Sie, die benötigte Angel dafür selbst zu bauen. Je nachdem, was Sie zu Hause haben, ist es aus verschiedenen Materialien wie beispielsweise Bambusrohr oder PVC möglich. Einige Tipps finden Sie hier: https://de.wikihow.com/Eine-Angelrute-selbst-machen und das Internet ist voll mit Anleitungsvideos dazu. Wenn Sie gern draußen übernachten, empfehle ich Ihnen besonders das Nachtangeln.

Das ist noch einmal ein anderes Erlebnis. Am besten, Sie machen diese Unternehmung mindestens zu zweit und nehmen dafür ein Zelt und Schlafsäcke mit. Wichtig hierbei: Halten Sie einen Mindestabstand zum Gewässer ein und schauen Sie vorher nach dem Wetterbericht, um eine Gewitternacht zu vermeiden. Grundsätzlich ist Nachtangeln in Deutschland nicht verboten. Weitere Informationen finden Sie auf folgender Seite. https://fischerhuette.hejfish.com/gewasser-in-deutschland-zum-nachtangeln/.

- Fürs Fischen benötigen Sie auch Fangfutter, dieses können Sie selbst in Form von Regenwürmern sammeln. Dies würde dann gleich ein weiteres, kleines Abenteuer beinhalten, das sich super zusammen mit Kindern umsetzen lässt. Bei regnerischem Wetter oder kurz nach einem kleinen Schauer gehen Sie zusammen vor die Tür, nehmen einen kleinen Eimer und eine Lupe mit und machen sich auf die Suche. Sie werden beim genaueren Betrachten der kleinen Tierchen erstaunt sein, wie individuell diese sind. Sie können auch wieder einen kleinen Wettbewerb daraus machen, wer von Ihnen den längsten Regenwurm findet. Gut geeignet für die Suche ist ein kurz gemähter Rasen. Noch besser eignen sich aber Ackerböden, Misthaufen oder Beete, falls Sie derartiges in Ihrer Nähe haben.

WINTER

Der Winter wird im Allgemeinen als die gemütliche, besinnliche Jahreszeit wahrgenommen, in der man die meiste Zeit zu Hause verbringt. Natürlich verbringt man in der kalten Jahreszeit deutlich mehr Zeit in den eigenen vier Wänden als beispielsweise im Sommer.

Dennoch gibt es viele Möglichkeiten, auch außerhalb des Hauses schöne Mikroabenteuer zu erleben.

Allen Wintersport-Begeisterten fallen in dem Zusammenhang mit Sicherheit die Skiurlaube in den Bergen sein. Man muss aber nicht zwingend in die Berge fahren, um im Winter etwas zu erleben. Auch vor Ort gibt es schöne Möglichkeiten und mit entsprechender Kleidung kann man auch gut mehrere Stunden draußen verbringen. Sogar einer Übernachtung steht mit dem richtigen Equipment nichts im Wege.

Probieren Sie zum Beispiel, selbst ein Schneeiglu zu bauen. Nach erfolgreicher Fertigstellung krönen Sie Ihren Erfolg mit Ihrer ersten Übernachtung im Schnee. Für den Bau benötigen Sie hauptsächlich viel Schnee sowie eine Schneeschaufel, eine Schneesäge und Zeit.

Mit nachfolgenden neun Schritten kommen Sie an Ihr Ziel:

1) Zuerst müssen Sie die Konsistenz des Schnees beurteilen. Ist er kompakt und griffig oder eher weich? In letzterem Fall müssen Sie ihn zuerst verdichten. Dazu markieren Sie einen Bereich von ungefähr fünf auf fünf Metern, trampeln den dort liegenden Schnee fest und lassen ihn erstmal einige Stunden ruhen. Wichtig ist auch zu schauen, ob es mengenmäßig für den Bau ausreicht.

Hierfür ist der Wetterbericht hilfreich. Schauen

Sie, ob mit weiterem Schneefall zu rechnen oder ob schon Tauwetter angesagt ist. Nachdem Sie einige Stunden gewartet haben, machen Sie den Selbsttest und stellen Sie sich auf den fest getrampelten Schnee. Können Sie ohne Schneeschuhe auf ihm stehen, ohne einzusinken, dann ist er für den Bau des Iglus geeignet.

2) Nun legen Sie den Platz fest, auf dem das Iglu gebaut werden soll. Ziehen Sie dafür mit einem Stock oder einer Schnur einen Kreis mit einem Durchmesser von etwa zwei Metern. Dies sollte für ein Iglu ausreichen.

3) Innerhalb des Kreises schaufeln Sie etwas Schnee weg. Das erleichtern Ihnen den Bau.

4) Markieren Sie nun auch den Eingang des Iglus. Dafür gibt es zwei Optionen: Entweder Sie formen aus drei ausgeschnittenen Schneeblöcken der unteren zwei Reihen einen Bogen und schneiden den Eingang nach Fertigstellung des Iglus heraus oder Sie bauen einen gewöhnlichen Tunnel, dazu heben Sie den Schnee vom Eingangsbereich her aus und verlegen auf diese Weise den Eingang unter die Schneedecke.
5) Im nächsten Schritt geht es an den eigentlichen Bau des Iglus. Schneiden Sie hierfür möglichst große

Blöcke aus dem dafür vorbereiteten Schnee. Die Schneeblöcke müssen mindestens einen halben Meter breit, 20 Zentimeter dick und 30 Zentimeter hoch sein.

6) Nun reihen Sie die ersten Blöcke nebeneinander entlang der Kreislinie auf. Die Blöcke müssen gegeneinander geneigt sein, damit sie sich gegenseitig stützen können.

7) Da das Iglu einer Kugel ähneln soll, wird es ab der zweiten Reihe anspruchsvoller. Praktisch bedeutet dies, dass nun für jede folgende Reihe weniger Blöcke benötigt werden als für die vorangegangene Reihe.

Deshalb müssen Sie vor dem Bau der zweiten Reihe aus vier Blöcken der ersten Reihe eine schräg zulaufende Rampe formen, um einen spiralförmigen Aufbau zu ermöglichen.

8) Nun bauen Sie spiralförmig Reihe um Reihe auf. Auf der Rampe beginnt der Bau der zweiten Reihe, dazu setzen Sie den nächsten Block mittig auf den Spalt zwischen zwei Blöcken der jeweils unteren Reihe. Auf diese Weise wird jeder nun dazukommende Block durch die Reihe darunter und den Block daneben gestützt.

9) Der letzte zu setzende Schneeblock stellt das Dach des Iglus dar. Sie schneiden dafür einen Block etwas größer als die anderen und setzen ihn oben auf das Iglu, um die letzte Lücke damit zu schließen. Anschließend kann man ihn noch zurechtschneiden und genauer anpassen. Anschließend werden alle noch offene Fugen gut mit Schnee verschlossen und fertig ist Ihr erstes selbst gebautes Iglu.

Nun steht der Übernachtung im Iglu nichts mehr im Wege. Grundsätzlich müssen Sie sich mit einem Schlafsack und Decken ausgerüstet keine allzu großen Sorgen um die Kälte machen. Ein korrekt gebautes Iglu isoliert hervorragend und speichert demnach rasch Wärme ein. Von großer Wichtigkeit ist es jedoch, dass Sie den Eingangsbereich frei lassen, um eine ausreichende Frischluftzufuhr zu garantieren. Nun fehlt nur noch ein heißes Getränk sowie ein nahrhafter Snack und ein Fernglas, um vor dem Schlafgehen noch den winterlichen Nachthimmel zu beobachten. Machen Sie unbedingt einige Fotos und dokumentieren Sie auf diese Weise Ihr einmaliges Erlebnis im Schnee.

Weitere Ideen für den Winter:

- Und auch der Wald bietet sich wieder für Unternehmungen an, Sie können gut ausgerüstet eine Winterwanderung machen und beobachten, wie sich der Wald auf den Winter vorbereitet. Welche Tiere sind noch zu sehen? Wie wirkt der winterliche Wald auf Sie? Wenn Sie gemeinsam unterwegs sind, starten Sie doch spontan eine Schneeballschlacht im Wald, hinter den eingeschneiten Bäumen kann man sich prima verstecken und etwas Bewegung hält Sie gleichzeitig auch noch warm.

- Für Kinder ist es äußerst interessant, Schneeflocken genauer zu betrachten. Aber auch wir Erwachsene können noch sehr viel in dem Bereich lernen. Wussten Sie beispielsweise, dass jede Schneeflocke anders aussieht? Und wie entstehen sie überhaupt? Gehen Sie raus, wenn es gerade schneit, nehmen Sie eine Lupe mit und bestaunen Sie gemeinsam dieses Wunder der Natur.

Mithilfe eines Mikroskops sind die Eiskristalle noch besser zu betrachten, dieses muss allerdings dazu mindestens auf den Gefrierpunkt heruntergekühlt werden. Und Vorsicht vor starken Temperaturschwankungen. Das Glas, aus welchem die Linsen optischer

Mikroskope bestehen, kann durch starke Änderungen der Temperaturverhältnisse schnell unter Spannung geraten und Risse bekommen oder brechen.

- Falls Sie schon lange nicht mehr Ihre Mutter besucht haben oder sie generell zu selten sehen, dann machen Sie einen spontanen Ausflug zu ihr. Bewältigen Sie die Strecke hierfür zu Fuß oder bei weiteren Entfernungen mit öffentlichen Verkehrsmitteln. In jedem Fall ohne Auto und am besten lassen Sie wieder das Smartphone zu Hause, um sich wirklich vollkommen dem wichtigsten Menschen Ihres Lebens widmen zu können. Nehmen Sie doch noch Kekse oder etwas zum Knabbern mit für den gemeinsamen Tee oder Kaffee. Ein kleines Mitbringsel kommt bei allen gut an.

- Falls Sie gern Aktivitäten mit anderen Menschen machen, bauen Sie eine Eisbar, laden Sie Freunde oder Nachbarn ein und verbringen Sie eine schöne Zeit zusammen im Schnee. Anbei gebe ich Ihnen wieder eine hilfreiche Kurzanleitung dazu mit. https://www.gartentipps.com/schneebar-bauen-anleitung.html

- Machen Sie gemeinsam den höchsten Hügel in Ihrer Nähe aus und fahren zusammen eine Runde Schlitten. Benutzen Sie anstelle des klassischen Holzschlittens doch alte Autoreifen.

Wenn Sie auf dem Land leben und den Zugang dazu haben, empfehle ich Ihnen einen alten Traktorreifen. Auf dem findet ohne Probleme eine große Gruppe Platz und bei geeignetem Hang ist Ihnen eine wilde Abfahrt sicher.

- Wenn Sie es zu später Stunde lieber gemütlich mögen, gehen Sie abends zusammen mit Ihrem Partner oder Ihrer Familie nach draußen und bestaunen Sie gemeinsam die Winterlandschaft. Suchen Sie sich ein gemütliches Plätzchen und genießen Sie mitgebrachten heißen Tee und Ihre Lieblingskekse.
- Falls Ihnen das Angeln Freude gemacht hat, probieren Sie sich doch am Eisangeln aus. Dies ist nicht nur in Skandinavien möglich, sondern auch am heimischen See. Machen Sie diese Unternehmung aber wirklich nur zu zweit und prüfen Sie vorher gut, ob der See auch wirklich ausreichend zugefroren ist und keine Einbruchgefahr besteht. Unter zwölf Zentimetern Eisdicke sollte man einen See nicht betreten und meiden Sie darüber hinaus Stauseen. Lokale Warnungen sollten Sie dabei unbedingt beachten.

Nachdem Sie die wichtigsten Punkte abgeklärt haben, steht einem Eisangeln nichts mehr im Wege.

Nehmen Sie unbedingt noch etwas Heißes zum Trinken und Decken mit, da man auf dem Eis schnell auskühlt.

https://pro-fishing.de/blog/eisangeln-zwischen-zauber-und-wahnsinn/

- Eine weitere Idee ist es, Schlittschuh fahren zu gehen. Probieren Sie dabei etwas Neues aus: Nehmen Sie einen Hockeyschläger und Puck mit und versuchen Sie sich als Eishockeyspieler. Das Ganze macht in der Gruppe am meisten Spaß. Sie müssen dafür auch nicht zwingend professionelles Equipment besorgen. Ein selbst gebauter Schläger aus Holz und beispielsweise ein Stein mittlerer Größe als Puck tun es für den Anfang mit Sicherheit auch.

- Eine künstlerische Idee für den Winter ist, Deko aus Eis herzustellen, beispielsweise für den eigenen Garten. Dazu brauchen Sie kein spezielles Material, sondern Sie kommen prima mit gängigen Haushaltsgegenständen aus. Die einzige Voraussetzung dafür sind einige Tage anhaltende, eisige Temperaturen. Sie können zum Beispiel eine Eisblumenschale herstellen, bunte Eiskugeln oder eine Eisblume.

https://www.philognosie.net/freizeit-hobby/eisdekofuer-den-garten-selber-machen

- Abschließend noch eine gesellige Idee für den Winter: Veranstalten Sie eine Winterparty, dekorieren Sie hierfür Ihren Garten mit den zuvor selbst hergestellten Eiskugeln und -blumen und schmeißen Sie den Grill an. Nicht nur im Sommer ist Grillsaison, das Rindersteak schmeckt im Winter genauso gut, wenn nicht sogar noch besser. Noch ein heißer Kinderpunsch dazu und keiner von Ihnen wird frieren.

Das Leben als Mikroabenteurer

Nachdem ich Ihnen nun ausführlich verschiedene Anregungen für alle möglichen Arten von alltagstauglichen Mikroabenteuern mitgegeben habe, möchte ich Sie noch etwas fragen: Wie wäre es, wenn ein Mikroabenteuer für Sie nicht nur an ausgewählten Tagen oder am Wochenende möglich ist, sondern nahezu 24 Stunden an 7 Tagen die Woche? Klingt verrückt, ist mit der richtigen Einstellung aber gar nicht so unrealistisch. Ob wir etwas als Abenteuer, als bereichernde Abwechslung und neuen Impuls wahrnehmen oder nicht, liegt zum großen Teil an unserer inneren Einstellung gegenüber dem Leben. Fragen Sie sich nun mal selbst und wichtig ist, dass Sie hierbei mit sich ehrlich sind: Wie empfinden Sie Ihr alltägliches Leben? Ist es eine Belastung oder eine Bereicherung? Sind Sie gelangweilt oder im Hamsterrad gefangen? Oder stehen Sie jeden Morgen mit einem Lächeln auf und fragen sich neugierig, welches Abenteuer dieser neue Tag wohl für Sie bereithält?

Man kann die teuersten Reisen und ausgefallensten Unternehmungen machen und trotzdem kann es passieren, dass dies einem nichts zurückgibt. Es ist für Ihr persönliches Empfinden irrelevant, wie viel etwas kostet, wie weit es entfernt ist und wie scheinbar extravagant es auch sein mag. Was es für Sie persönlich ist, entscheidet Ihre Einstellung dazu. Das Mikroabenteuer beginnt in Ihrem Inneren. Und deshalb müssen wir dafür an unserer inneren Einstellung arbeiten. Wenn diese passt, dann kann es auch eine gewöhnliche spontane Wanderung ganz in der Nähe Ihres Wohnortes sein, die Ihnen neue Impulse gibt und Sie aus dem Alltagstrott holt.

Im Leben geht es schlussendlich nicht darum, mit wie viel Brimborium man ein großartiges Leben führen kann, sondern mit wie wenig man ein glückliches und zufriedenes Leben führen kann. Die glücklichsten

Menschen sind doch diejenigen, die mit dem, was sie zur Verfügung haben, gut auskommen, und daraus das Beste machen. Nehmen wir hier als Beispiel Kinder, um das Ganze anschaulicher erklären zu können. Mein Sohn beispielsweise hat Unmengen an Spielzeug, solange es neu ist, interessiert es ihn brennend, aber nach einiger Zeit lässt das Interesse stark nach und es liegt wieder unbeachtet in der Ecke. Und womit spielt er stattdessen? Mit simplen Haushaltsgegenständen, mit den Dingen, die Mama auch benutzt. Er will im Haushalt mithelfen, telefonieren wie Mama, essen wie Mama. Sogar die Wohnung zu putzen, ist plötzlich ein Erlebnis, wenn er mithelfen darf.

Was ich Ihnen damit verdeutlichen will: Es benötigt keine große Investition und viel Aufwand und Zeit, um ein Abenteuer zu erleben. Unser alltägliches Leben ist voll mit Abenteuern, wir müssen Sie nur erkennen wollen. Eine gute Übung, um diese Fähigkeit wieder zu trainieren, ist es, viel Zeit mit Kindern zu verbringen. Damit meine ich nicht, dass Sie versuchen sollen, einen Tagesplan aufzustellen und auf die Durchsetzung zu pochen. Lassen Sie Raum für Spontaneität, nehmen Sie den Tag mal so, wie er kommt, und lassen sich dabei von Ihren Kindern an die Hand nehmen und führen. Das bedeutet nicht, dass die Kinder die gesamte

Wohnung verwüsten oder Ähnliches und Sie dabei zuschauen. Es geht darum, sich auf ihre Ideen für Unternehmungen einzulassen, aktiv danach zu fragen, was sie machen möchten. Versuchen Sie für einen Tag, die Welt mit Kinderaugen zu sehen, lassen Sie sich darauf ein und tauchen Sie ein in die kindliche Perspektive auf die Welt.

Am Anfang wissen Sie vielleicht nicht, wohin das Ganze führen soll, oder kommen sich albern vor. Geben Sie nicht so schnell auf. Machen Sie aus dem einen Tag ruhig mehrere Tage. Es erfordert eine gewisse Übung und Sie müssen dazu loslassen, sich selbst zugestehen, einfach wieder mal für einen Tag ein Kind sein zu wollen. Und wer von uns möchte nicht wieder einmal diese Unbekümmertheit und die Faszination für die kleinsten Dinge des Lebens spüren? Wenn Sie dieses Gefühl einmal verinnerlicht haben, wird es Ihnen keiner mehr wegnehmen können. Vielleicht denken Sie sich nun, alles schön und gut, aber wie soll ich das bitte umsetzen – ohne eigene Kinder. Die Sache ist nicht so kompliziert. Haben Sie in Ihrer Verwandtschaft Kinder? Einen Neffen, eine Nichte oder haben Sie guten Kontakt zu den Nachbarskindern? Und falls Ihre eigenen Kinder schon zu groß für dieses Experiment sind, dann haben Sie vielleicht eigene

Enkelkinder? Wenn das Vertrauensverhältnis passt und die Kinder an Sie gewöhnt sind, werden die Eltern es mit Sicherheit begrüßen, mal einen freien Tag zu haben.

Nun noch ein weiteres Hilfsmittel, welches Ihnen dabei helfen wird, Ihr alltägliches Leben mit anderen Augen wahrzunehmen. Nachfolgend gebe ich Ihnen dazu fünf Affirmationen mit auf den Weg, die Ihnen helfen sollen, eine positivere Lebenseinstellung zu verinnerlichen. Es reicht wahrscheinlich nicht aus, diese einmal gelesen zu haben. Versuchen Sie, diese mehrmals zu lesen, im besten Fall einmal täglich und vor allem: Machen Sie sich Ihre eigenen Gedanken dazu. Jede Veränderung beginnt mit der Selbstreflexion des Ichs. Das erfordert etwas Zeit und Anstrengung, aber es wird sich lohnen.

Beginnen Sie gleich heute und lesen sich jetzt die folgenden fünf Leitsätze laut vor:

1) Das Leben ist mein Freund.

2) Mein Leben ist so, wie ich darüber denke.

3) Die kleinen Dinge sind die wahrhaft großen.

4) Ich lebe und entwickle mich durch die Begegnungen mit Menschen.

5) Meine natürliche Veranlagung liegt in der Natur.

Nachdem Sie sich die Wichtigkeit der eigenen Einstellung bewusst gemacht haben, können Sie zusätzlich, um sich selbst den Einstieg zu erleichtern, einen 10-Wochen-Aktionsplan erstellen. Innerhalb dieser Zeit nehmen Sie sich zehn Outdoor-Aktivitäten vor, die Sie bis dahin erlebt haben möchten.

Ob Sie es strikt gliedern und festlegen, in welcher Woche und an welchem Wochentag welches Abenteuer gemacht werden soll, oder es einfach spontan gestalten, bleibt Ihnen überlassen. Ich rate Ihnen dazu, die Aktivitäten festzulegen, aber die Reihenfolge und auch die Wochentage flexibel zu lassen, um wetterabhängig planen zu können. Am Anfang hilft es vielen, etwas Schriftliches zu haben, da dies verpflichtender auf einen wirkt. Unter folgendem Link finden Sie dazu kostenlose, passende Vorlagen (https://www.alle-meine-vorlagen.de/aktionsplan/) oder Sie gestalten sich über Word oder Excel ganz nach Ihrem Geschmack Ihren eigenen Abenteuerplan.

Am besten ist, Sie drucken diesen aus und hängen ihn an einem Ort auf, an dem Sie täglich mehrmals vorbeikommen und ihn immer wieder sehen. Hierfür eignet sich besonders gut der Kühlschrank oder auch die Innenseite der Haustür. Eine weitere Möglichkeit, das

Ganze für sich selbst verpflichtender zu gestalten, ist es, Freunde oder die Familie aktiv einzubeziehen und einen festen Tag für das gemeinsame Mikroabenteuer festzulegen.

Schlussendlich kann man viele Pläne schmieden, Vorlagen gestalten und ausfüllen. Aber das Entscheidende ist doch, wie mit allem, dass man in die Umsetzung kommt. Manchen fällt es vor allem beim ersten Ausflug leichter, andere Personen einzubeziehen und sich von ihnen mitziehen zu lassen. Andere mögen es lieber, alles in die eigene Hand zu nehmen und unabhängig von anderen loszuziehen. Sie wissen selbst am besten, was bei Ihnen funktioniert. Gestalten Sie Ihr Mikroabenteuer so, wie es für Sie individuell am besten passt und nehmen Sie meine Tipps als Anregungen.

Zusätzlich können Sie sich, um schneller ins Tun zu kommen und langfristiger bei der Sache zu bleiben, folgende Leitsätze immer wieder ins Gedächtnis rufen, um sie zu verinnerlichen. Diese stellen eine Ergänzung zu den fünf Basisaffirmationen dar, die ich Ihnen bereits weiter oben mit auf den Weg gegeben habe. Suchen Sie sich einige aus, die Ihnen am ehesten zusagen, und schreiben Sie diese auf. Man sagt nicht umsonst „von der Hand in den Kopf" oder der alte Spruch aus der Schulzeit „Wer schreibt, der bleibt". Es erhöht nachweislich den Lerneffekt. Wenn Sie mögen, können Sie aus den schönsten Sprüchen ein buntes Plakat gestalten, das Sie anschließend dekorativ in Ihrem Zuhause aufhängen.

Alles, was Ihre Motivation hochhält, wird Ihnen helfen.

- „Wer nicht wagt, der nicht gewinnt." (Unbekannt)

- „Machen ist wie wollen, nur besser." (Unbekannt)

- „Wer sucht, der findet." (Unbekannt)

- „Du kannst einen See nicht dadurch durchqueren, dass du nur dastehst und auf das Wasser schaust." (Rabindranath Tagore)

- „Tu, was du kannst, mit dem, was du hast, dort, wo du bist." (Theodore Roosevelt)

- „Wer leben will, der muss was tun." (Wilhelm Busch)

- „Du musst genau das machen, wovon du glaubst: Das kann man nicht machen." (Eleanor Roosevelt)

- „Entweder wir finden einen Weg oder wir machen einen." (Hannibal)

- „Die Welt ist groß und ich will sie mir gut ansehen, bevor es dunkel wird." (John Muir)

- „Es ist nicht genug zu wissen, man muss auch anwenden. Es ist nicht genug zu wollen, man muss auch tun." (Johann Wolfgang von Goethe)

- „Eine Reise von tausend Meilen beginnt mit dem ersten Schritt." (Laotse)
- „Einen Vorsprung im Leben hat, wer da anpackt, wo die anderen erst einmal reden." (John F. Kennedy)
- „Es ist nicht wichtig, wie groß der erste Schritt ist, sondern in welche Richtung er geht." (Unbekannt)

Ihre letzten Ängste können Sie mit folgenden Leitsätzen entgegensteuern.

- „Gelegenheiten klopfen an deine Tür. Aber bis du die Riegel zur Seite geschoben, die Kette aufgemacht, den Alarm deaktiviert und das Sicherheitsschloss aufgeschlossen hast, sind sie längst wieder weg." (Rita Coolidge)
- „Man hat nur Angst, wenn man mit sich selbst nicht einig ist." (Hermann Hesse)
- „Ein Schiff ist sicherer, wenn es im Hafen liegt. Doch dafür werden Schiffe nicht gebaut." (Paulo Coelho)
- „Lass die Angst vor dem Scheitern nicht größer sein als die Lust auf das Gelingen." (Roberto Kiyosaki)

Sie sehen nun bestimmt selbst, es gibt nur eine Möglichkeit herauszufinden, ob Sie ein Mikroabenteurer sind, Sie müssen es einfach machen. Schalten Sie den Kopf aus und ziehen los. Haben Sie heute noch eine dringende Verpflichtung? Nein? Dann ab nach draußen!

Abschließen möchte ich mit meinem persönlichen Lieblingszitat:

„Auch der kleinste Schritt in die richtige Richtung kann als großer Lebensweg enden."
(Unbekannt)

Angewandt auf unsere Thematik, könnte man sagen:

„Auch der kleinste Schritt vor die Haustür, kann als großes Mikroabenteuer enden."

Herstellung und Verlag:

BoD – Books on Demand, Norderstedt

ISBN: 9783754301494

© Julian Kobus 2021

1. Auflage

Kontakt: Psiana eCom UG/ Berumer Str. 44/ 26844 Jemgum

Covergestaltung: Fenna Larsson

Coverfoto: depositphotos.com

CPSIA information can be obtained
at www.ICGtesting.com
Printed in the USA
BVHW082024310521
608479BV00004B/963